O. AMSTERDAM WAT BEN JE MOOI

HOU t ZO

PANSEMERTBRUG · PRINSENSLUIS · PRINSENGRACHT CENTRUM · LELIESLU

GUNTERS & MEUSER

HANDEL IN IJZERWAREN

REESLUIS BERENSLUIS LOOIERSSLUIS DIETER GOEMANSB

Fotografen: Jurriaan, Chris en Daan Hoefsmit, René van der Meulen, Fred Icke
www.chrishoefsmit.nl www.jurriaanhoefsmit.nl www.daanhoefsmit.nl www.renevandermeulen.nl www.ickedesign.nl

Het copyright van de foto's berust bij de bovenstaande fotografen en J.M. Meulenhoff bv, Amsterdam.
Vormgeving: bovenstaande fotografen **Opmaak:** Marc van den Berg **Gastfotografen:** Kees Funke Küpper,
Niels Gerretsen, Fjodor Gransjean, Ruster Klijn, Merel Versteeg, Jolanda en Max Icke.
Druk: Drukkerij Wilco, Amersfoort **Website:** www.hetamsterdamboek.nl: Floris Smitskamp.
Met dank aan de parkeerpolitie Amsterdam **isbn** 978 90 290 8756 8 / nur 653 www.meulenhoff.nl

De mooiste straat
van Amsterdam-Noord publieksprijs 2009

Mooiste Straat
Banne Noord 1999

WITTE·TULP
EDUCATIEF CENTRUM

KARDEELBLOK

in een lekke boot is het slecht zeile

Vooruit
parkeren
i.v.m.
uitlaat-
gassen

beter een anker kwijt dan het sch

"Hollandsche" paarden 2007

ZUIDERBAD

MANEGE.

Jan Bloem

SLOTERKADE OUD-ZUID

THEOPHILE DE BOCKSTRAAT OUD-ZUID

JACOB MARISSTRAAT OUD-ZUID

JACOB MARISPLEI OUD-ZUID

SCHINKELHAVEN uit 'ZICHT

BERLAGE

BOUWMEESTER

1856   1934

De mooiste straat

STENGHOF
98/112

STAGHOF
2/16

VLAGGEMAST
1/15

VLAGGEMAST
17/31

ACHTERSPRING ACHTERTROS KATTERUG HAKKEBO

Tussendek

AMSTERDAMSCHE COURANT

Café Bolle Jan

Keesie

AMSTERDAMSE LUCHT SCHONER
De Amsterdamse lucht is het afgelopen
jaar een stuk schoner geworden

HOGEWEG
TERGRAAFSMEER
BREDEWEG
LINNAEUSKADE
WATERGRAAFSMEER
NIASSTRAAT
ZEEBURG
TIDORESTRAAT
JAVAPLANTS

BORNEOSTRAAT
Zeeburg

BADHUIS JAVAPLEIN

HOGEWEG
WATERGRAAFSMEER

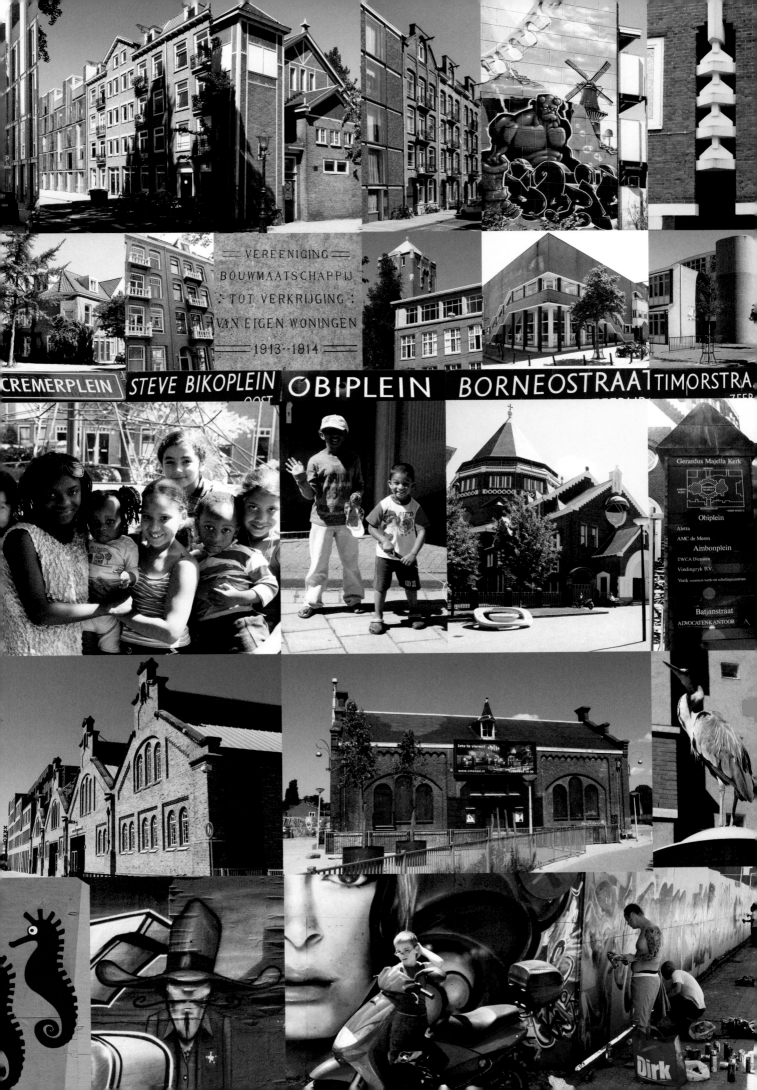

CREMERPLEIN STEVE BIKOPLEIN OBIPLEIN BORNEOSTRAAT TIMORSTRA

VEREENIGING
BOUWMAATSCHAPPIJ
TOT VERKRIJGING
VAN EIGEN WONINGEN
1913--1914

Gerardus Majella Kerk

Obiplein

Aletta
AMC de Meren
Ambonplein
TWCA Diensten
Vindingryk B.V.
Vonk vrouwen werk-en scholingscentrum

Batjanstraat
ADVOCATENKANTOOR

I ♥ PAALDANSEN

Roel Kooistra

ZUIVELPLEIN
WATERGRAAFSMEER

DEBARANPLEIN
TUINDORP OOSTZAAN

BETELGEUZESTRAAT
TUINDORP OOSTZAAN

KOMETENSINGEL
TUINDORP OOSTZAAN

AANSTRAAT
NDORP OOSTZAAN

PLEJADENPLEIN
TUINDORP OOSTZAAN

ZONNEWEG
TUINDORP OOSTZAAN

AKKERSTRAAT · LANDBOUWSTRAAT · WATERGRAAFSMEER · 41

GEEF M'N VOORWIEL TERUG!!!!!

Betondorp · Attentie Buurtpreventie

café 't praathuis · café 't praathuis · amsterdam · xxx

ZAAIERSWEG · Oost / Watergraafsmeer

ACA TRAVEL · KLM

SIKKELSTRAAT · WATERGRAAFSMEER · 9

! Op J afrit Scootmobiel · 92 · 92

DE BOEKBINDWINKEL · LOTTO · TRAFIEK · TECHNISCHE GEGEVENS

afval punt

SCHOON HOUDEN IS SIMPEL
Gemeente Amsterdam
Stadsdeel Oost-Watergraafsmeer
www.oost-watergraafsmeer.nl

.KunstOpStelten.nl
trale acts op stelten

BETONDORP

De Lekkernij
Voor al uw brood, banket en vers belegde broodjes

TUINBOUWSTRAAT
WATERGRAAFSMEER

VERBREDEN VAN WEGEN
DAAR ZIJN WIJ TEGEN
a1-a10-oost-beteropgelost.nl

had gister Mooien schoenen
u is het fles
fies jak
kinderen ruimten
te spelem

PARADE
AMSTERDAM
6-22 AUGUSTUS

Stadsdeel Zeeburg

HET LANGE MES

♥ UKGR ♥
EvangelischCentrum
Helpt Mensen een Nieuw begin te Maken
Dagelijks diensten om 10:00, 15:00 en 19:30uur
voor meer info bel 020 - 6163302

101 NAMEN
IN DE LUCHT GESCHREVEN.
LEES ZE MET EEN VERREKIJKER

SNACK KRAAI
DE KALE MAI

Scooter Service   Tel: 020 - 4684125
www.scooter-service.nl

KUNSTGEBITTEN
AARTS & RENE TEEBOOM

KRUGERPL

KRAAIPANSTR

APPELWEG
2 ¹/m 26
DRUIVENSTRAAT
JUTTEPEERPAD
GOUDREINETSTRAAT
MELOENENSTRAAT
FRAMBOZENSTRAAT
Tuindorp Oostzaan
MANDARIJNENSTRAAT
TUINDORP OOSTZAAN

PRUIMENSTRAAT
KERSENSTRAAT
PERZIKSTRAAT
TOMATENSTRAAT
PERENPAD
POMONASTRAAT

ABRIKOZENSTRAAT
AMANDELSTRAAT
BANANEN.
CITROENENSTRAAT
Tuindorp Oostzaan
ROZIJNENSTRAAT
DADELSTRAAT
TUINDORP OOSTZAAN

KRUISBESSEN
SINAASAPPELSTRAAT
TUINDORP OOSTZAAN
MOERBEIENSTRAAT
TUINDORP OOSTZAAN

De Poezenboot

Lost in Amsterdam

GUNTERS & MEUSER

HANDEL IN IJZERWAREN

VICTORIA HOTEL

Restaurant
De Groene Lanteerne

BERLAGE LYCEUM

Het Knolletje
voor al uw meubels

DESIDERIUSBRUG

NEE NEE NEE
NEE NEE
NEE NEE

BIMHUIS

WEMBLEYLAAN
OOST/WATERGRAAFSMEER

VOORLANDPAD
Oost-Watergraafsmeer

ESPLANADE DE MEER
OOST/WATERGRAAFSMEER

DELLE ALPIH
OOST/WATERGRAAFSM

Johan Cruijffbrug

Meerpa

Er is meer te beleven

Sportpark
Voorland

SKATE PARCOURS

Dierenambular
Amsterdam

LAAT JE HOND
TEGEN JE EIGEN
DEUR PLASSEN
EN NIET BIJ ANDEREN
TE LUI ZEKER OM
UIT TE LATEN

haarID

ISONSTRAAT OHMSTRAAT AMPÈRESTRAATMAX PLANCKSTRAAT
WATERGRAAFSMEER WATERGRAAFSMEER WATERGRAAFSMEER WATERGRAAFSMEER

Mooiste straatje 1998

Elout.

HYGIËAPLEIN

MARATHONWEG
Oud Zuid

SPEERSTRAAT
OUD-ZUID

HERCULESSTRAAT
OUD-ZUID

THESEUSSTRAAT
OUD-ZUID

WILLAERTSTRAAT
OUD ZUID

Groenste Straat
verkozen door Ecokids Elout 2008

WIJKCENTRUM
VONDELPARK
CONCERTGEBOUWBUUR

VAN KOETSVELDSCHOO

J.D.W. STEENHUISEN
LITT. CLASS.
ONDERRICHT IN
GRIEKSCH. LATIJN EN RUSSISCH
OPL. STAATSEX. A. EN B.

1

178

61

Mr. VISSERPLEIN
CENTRUM

Mr. Dr. L.E. VISSER (1871-1942)
RAADSHEER EN PRESIDENT HOGE RAAD DER NEDERLANDEN,
VERDEDIGDE DE BELANGEN VAN DE JOODSE BEVOLKING
TIJDENS DE DUITSE BEZETTING

MUIDERSTRAAT
CENTRUM

EL SALVADOR...

OFF ON

TANDARTSPRAKTIJK DE HORTUS

WWW.FILMACADEMIE.NL

Rumah Tua

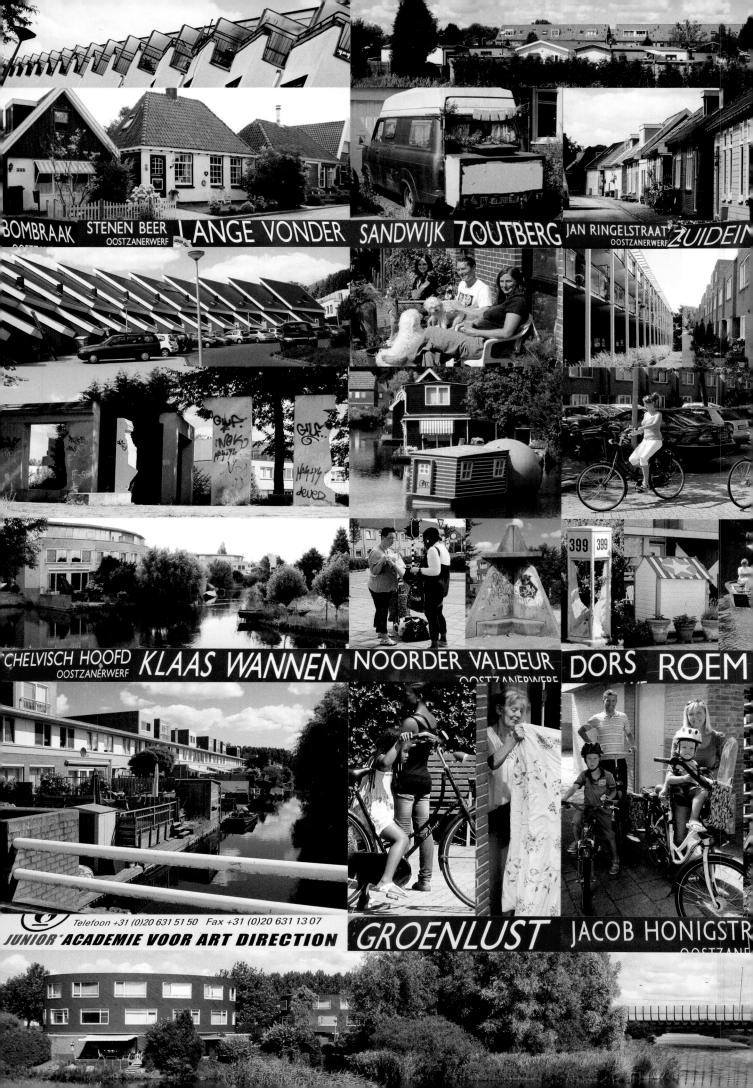

BOMBRAAK   STENEN BEER   LANGE VONDER   SANDWIJK   ZOUTBERG   JAN RINGELSTRAAT   ZUIDEIN
OOSTZANERWERF   OOSTZANERWERF

CHELVISCH HOOFD   KLAAS WANNEN   NOORDER VALDEUR   DORS   ROEM
OOSTZANERWERF   OOSTZANERWERF

Telefoon +31 (0)20 631 51 50   Fax +31 (0)20 631 13 07
JUNIOR* ACADEMIE VOOR ART DIRECTION   GROENLUST   JACOB HONIGSTR
OOSTZANE

BOKKINGHANGEN
ZOUTKEETSGRACHT
PETEMAYENBRUG

TAANSTRAAT
JAN MENSPLEIN
ZANDHOEK
REALENGRACHT
CENTRUM

LEINE BICKERSSTRAAT
Centrum

GROTE BICKERS
STRAAT CENTRUM

BICKERSWERF

NOACHS ARCK

DE KAPITEIN

Bickers a/d Werf

WEES L
geen vuln
bbq-rest

BARENTSZPLEIN
Willem Barentsz (1550 - 1597) Zeevaarder die samen
Van Heemskerck in 1596 via de noordroute van Europ
en Azië de zeeweg naar Indië wilde ontdekken.
Hij overwinterde op Nova Zembla en overleed van
kou en ontbering op de terugtocht naar Holland.
WESTERPA

Nerf

Géén Reklame

BROOD HEBBEN WY GEEN NOOD
EVEEL DAN GAAN WE DOOD
ELK VAN ONS HEEFT ZYN EGEN PLEET
HET IS DE BOER DIE HIER ALLES VAN W

STICHTING
Werk Projekt A.dam
Rijwielstalling
herstel en
kluswerkplaats.
herstel,banden
plakken
klaar terwijl U wacht.
koffie+thee staan
klaar.

tudio xs
art nieuwenhuijs
tografie / art-direction

BIGPIXTURE
HOTOGALLERY

DIAMANTSLYPERIJ I J ASSCHER

PIETER AERTSZ
STRAAT OUD-ZUID
RUSTENBURGERDWARS
STRAAT OUD-ZUID
ROBIJNSTRAAT
OUD-ZUID
VAN HELT STOCADE
STRAAT OUD-ZUID
POGGENBEEKSTRAAT
OUD-ZUID
COOPERATIE
HOF OUD-ZUID
DORA TAMANAPLEIN
OUD-ZUID
STRIJDSTER TEGEN APARTHEID IN ZUID-AFRIKA
(1901-1983)

Cabin OK
Sollicitatietrainingen
www.cabin-ok.nl

OPENBARE
VOORBEREIDENDE SCHOOL
1e L.

CHINEES MASSAGE CENTER
AMSTERDAMSE
TANDARTSEN

kinderdagverblijf
uk de pijp
tel (020) 6730112 - www.uk

Wy verkop
geen zonnebrille
Behalve deze
€2,- P/st 3 voor €5,-

...STELDIJK LUTMASTRAAT
Oud Zuid

THÉRÈSE SCHWARTZESTRAAT
Oud Zuid

TOLSTRAAT
OUD ZUID

LUTMASTRAAT
Oud Z...

ELTJESSTRAAT ← RITZEMA BOSSTRAAT WATERGRAAFSMEER LORENTZLAAN NATUURKUNDIGE 1853-1928 NOBELPRIJS 1902 PEKELHARINGSTRAAT WATERGRAAFSMEER GENEESKUNDIGE 1848-1922 SNELLIUSSTRAAT NATUURKUNDIGE 1580-1626

UZALEM
MOET
IJVEN !

D JERUZALEM !

YS-77-KS

Nederlands Uitvaart Museum **tot ZOVER**
Geopend di t/m zo van 11 tot 17 uur

nburgh café OPEN

S
85

S servicepunt WATERGRAAFSMEER

Taart je Taart
slagwerkgroep
amsterdam
Get Naked
Bat
in textiles

TUSSEN DE BOG
CENT

De Roo Vos

VIER
WINDEN
STRAAT
CENTRUM

WILDPLAKZUIL   WILDPLAKZ

DRINGENDE
OPROEP!

DRIEHARINGENBRUG

SMALLEPAD   PLANCIUSSTRAAT   TWEEDE BREEUWER
CENTRUM   STRAAT   CENTRU

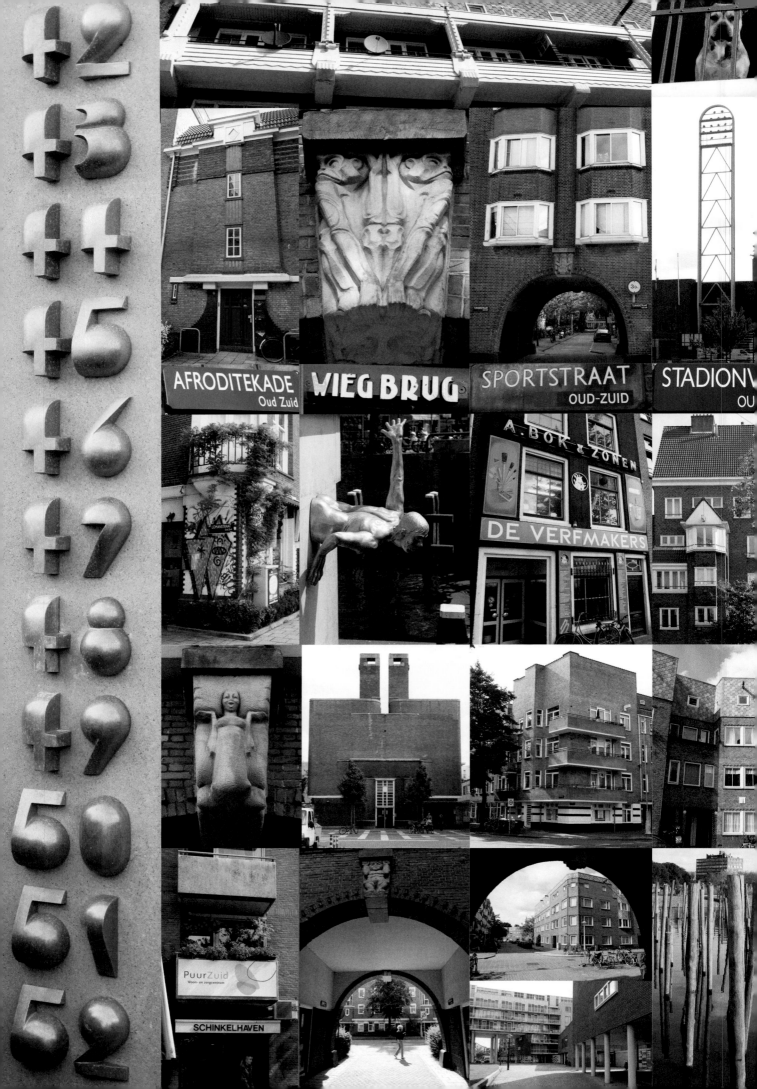

AFRODITEKADE
Oud Zuid

WIEG BRUG

SPORTSTRAAT
OUD-ZUID

STADIONW
OU

A. BOK & ZONEN
DE VERFMAKERS

PuurZuid
Woon- en zorgcentrum

SCHINKELHAVEN

RPERWEG
OUD-ZUID

WYKGEBOUW
DER VEREENIGDE DOOPSGEZINDE GEMEENTE

HENNETJESBRUG

JAN EVERTSENSTRAAT
OVERTOOMSE VELD

GARAGE KAPADOKYA
TEL. 020 6715115

Rijschool
AMRIT
06-533

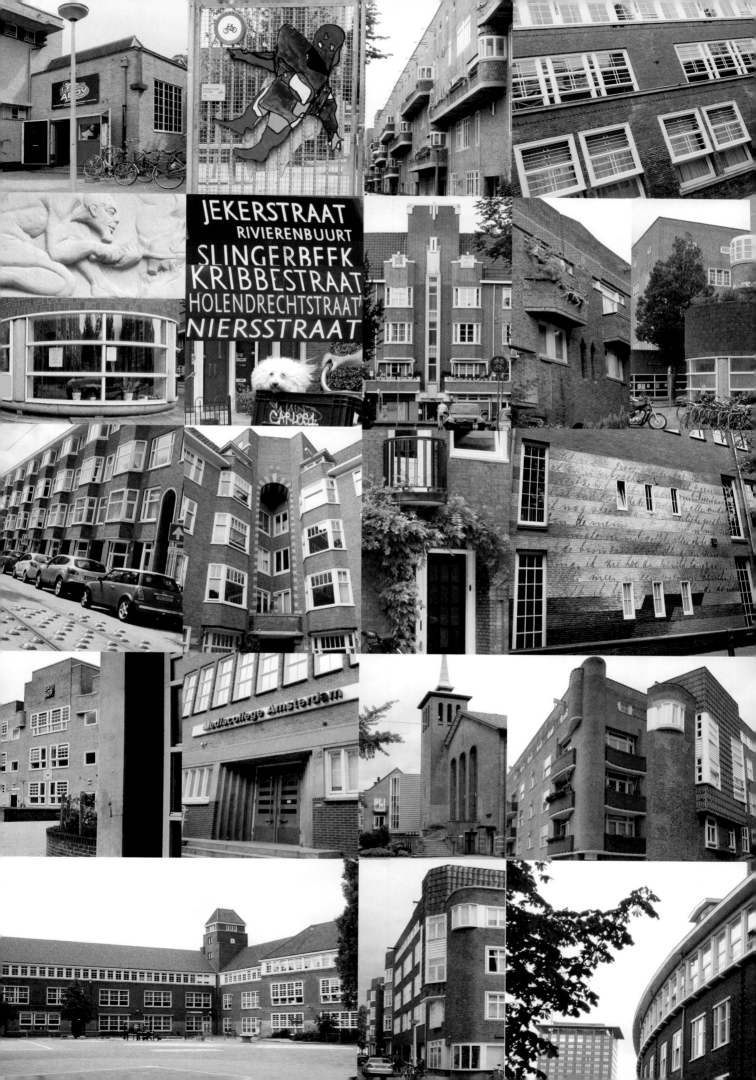

zoals zijn hart een haw Hij keek uit

HOUTMANSTRAAT
NIEUWE TEERTUINEN
EERSTE BREEUWERS
STRAAT   CENTRUM

HOUTMAN-
DWARSSTRAAT
BOUWMAATSCHAPPIJ
DE FILMFREAK.

SLOTERDIJKERBRUG

LIEFDE EN EENDRACHT

DE ANSJOVIS

De Walvis

AMSTEL BIE

PLANTAGE LEPEL
LAAN   CENTRUM

WELGELEGEN

INGANG   LEDEN.

...URA ARTIS MAGISTRA.

Bar & Kitchen

1993   1883

ISTANBUL

BAANAKKERSPARK

J.H. VAN HEEKWEG
← ELPERMEER →
J. DRIJVERWEG
AMERBOS
NIEUWENDAM

SNIP

EEND

D

STADIONKADE
OUD-ZUID

JAN van EIJCKSTRAAT
OUD-ZUID

RUBENSSTRAAT
OUD-ZUID

BUIKSLOTERDIJK
BUIKSLOOT

CLEMATISSTRAAT
NOORD

RANONKELKADE
NOORD

BLOEMSTRAAT.

SCHUBE

1635

PRINSES IRÈNE
TRAAT
ZuiderAmste

DRIEHOEKSTRAAT
CENTRUM

. VAN WEES

ALBRECHT DÜRER
STRAAT
OUD-ZUID

IISBAANPAD

CRASH HOUSE
Bus before you die!

PILOTSTUDIO

FACTORIJ

TENNISPARK JAAGPAD

DANSGROEP
AMSTERDAM
DE CHÂTEL & GALILI

DOORGAND
RIJVERKEER
GESTREID

LUCHTVAARTSTRAAT
Oud Zuid

PILOTENSTRAAT

VLIEGTUIGSTRAAT

HELICOPTERSTRAAT

VALSCHERMKADE

PROPELLERSTRAAT

ITALIAANS IJS · ICE CREAM

ITALIAANS · IJS

GELATI ITALIAANS IJS

BABBOE

DE BESTE MOTOR VANEEN BEDRIJF
IS EEN LEUK EN HANDIG WIJF

UKI

TOCH IK ZEUR

OOK NIET OVER JOUW
SLECHTE PARFUM

Schinkelbru

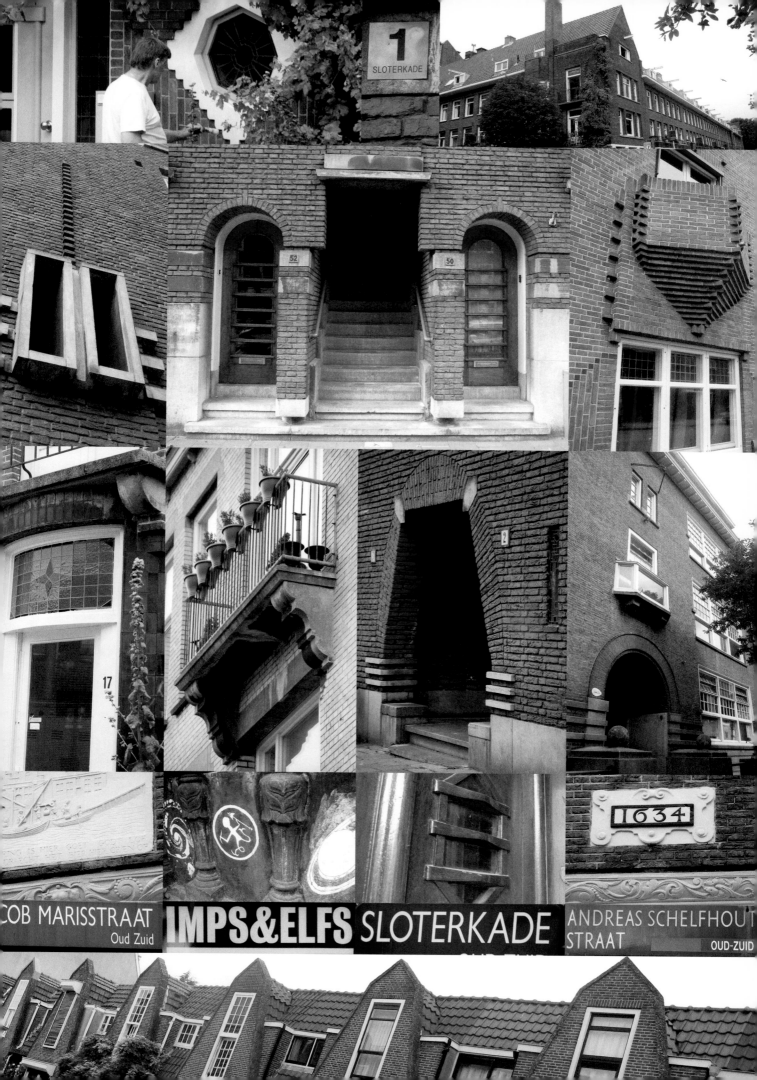

SLOTERKADE

COB MARISSTRAAT
Oud Zuid

IMPS&ELFS SLOTERKADE

ANDREAS SCHELFHOUT
STRAAT
OUD-ZUID

1634

WATERGANGSEWEG

TIENGEMETENSTRAAT

WIJDENESSERSTRAAT
NIEUWENDAM

PURMERWEG

werk en heb lief,
vecht en win.
leef,
leef allen en wordt groot.

Krijn Breur   afscheidsbrief 5-2-1943

OUDORPERSTRAAT

WOESTDUINSTRAAT
OUD-ZUID

VOGELENZANGSTRAAT

OUD-ZUID

JAN OLPHERT
VAILLANTLAAN ZEEBURG

PEDRO NUNESSTRAAT
ZEEBURG

Thomas Hoodstraat

PYBO
STEENSTRASTRAAT
ZEEBURG

THEATER

WELKOM

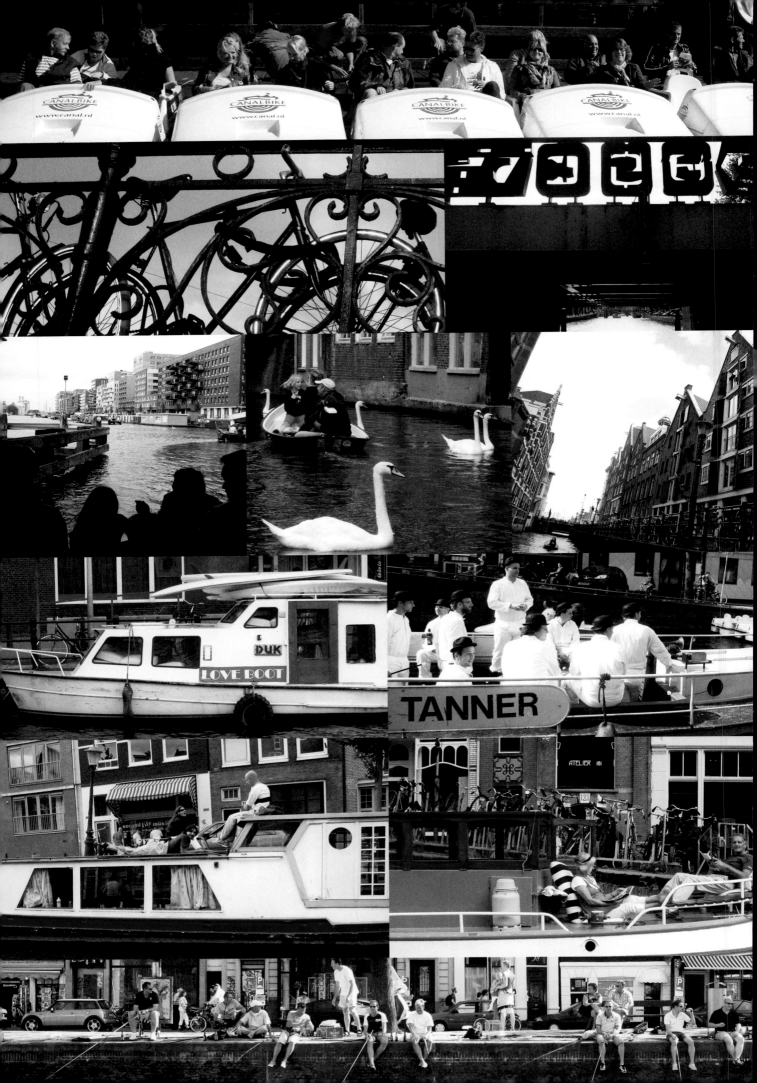

spelen
zonder hondenpoep
KOPERSLAGERIJ
NOORD

HOLLANDIA KATTENBURGPAD

IJ plein

↑ nrs. 4-222
nrs. 9-113

siervijver
verboden te vissen

IK BRUL
VOOR ORANJE!

'DE MOOISTE STRAAT'
VAN NOORD

1987	Leeuwerikstraat	1994	Tussendek
1988	Pinasstraat	1995	Fokkezeil
1989	Tussendek	1996	Meidoorn/Laanweg
1990	Kanariestraat	1997	Tussendek
1991	Buitenzagerij	1998	Buitenzagerij
1992	Tussendek	1999	Heimansweg
1993	Zijkanaal I	2000	Buitenzagerij

PowerSat

Dames & Heren
13.-
KAPSALON DIBA

...é... de Fluiter

Paul's Boutique
Fietsen- en motorstalling
www.bestevaerstraat.com

McCain

Coca-Cola

HEER HALEWIJN
STRAAT   BOS EN LOMMER

VIER HEEMSKINDEREN
STRAAT   BOS EN LOMMER

JAN HARINGSTRAAT
          BOS EN LOMMER

ADMIRAAL
DE RUIJTERWEG
stadsdeel de baarsjes
MICHIEL ADRIAANSZ. DE RUYTER (1607-1676)
ADMIRAAL VAN HOLLAND EN WEST-FRIESLAND

ADOLF VAN NA
STRAAT   BOS EN

Stadsdeelkantoor ▶

De Stofzuigerkoning

Amsterdamse Tafelzuren

VIERWINDSTREKENBRUG

HAAR
FIKSI

Simon Vinkeno

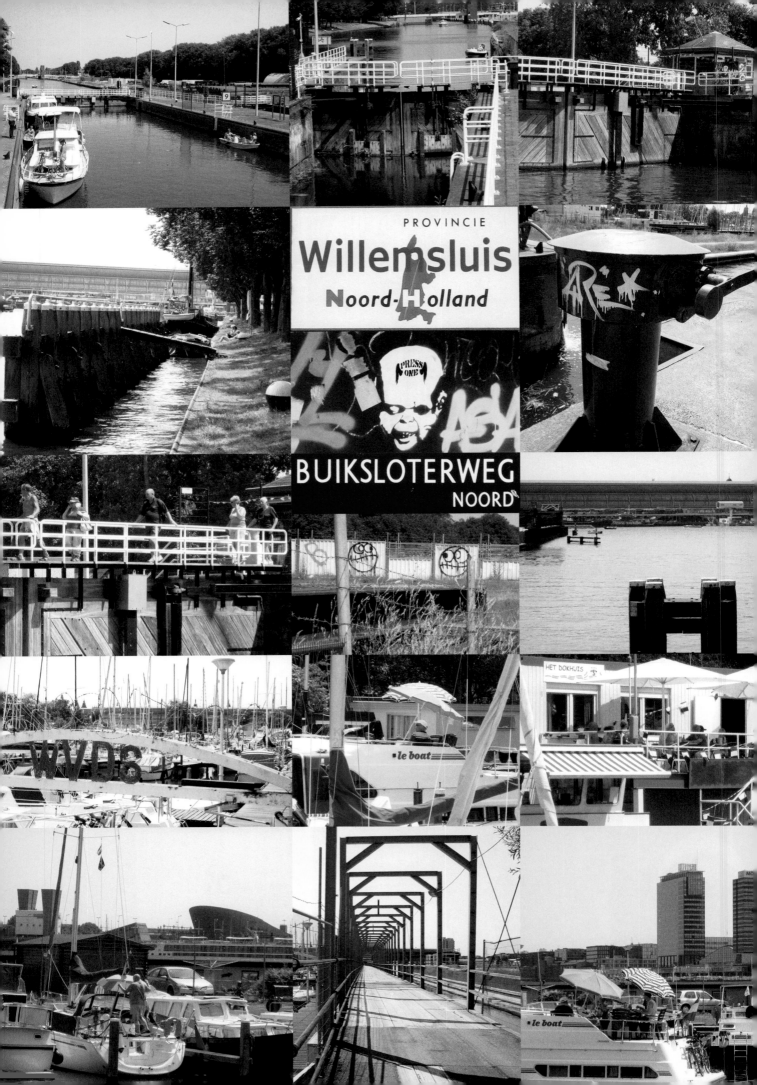

Bouwdok Sixhaven

In het bouwdok zijn de elementen gebouwd die gebruikt worden voor de tunnel onder het IJ en het Centraal Station. De elementen liggen nu opgeslagen in het westelijk havengebied. Nu wordt hier het deel van de tunnel gebouwd.

N|oord|Zuidlijn

Gemeente Amsterdam
Informatiepunt Noord/Zuidlijn
Telefoon 020 470 40 70
www.noordzuidlijn.amsterdam.nl

Sixhavenweg
24, 25, 26, 27

fstappn

Vliegenbos
Buikslotermeerplein
Centrum
Zunderdorp
Schellingwoude
Ransdorp
Marken

LF7a
Oeverland
route

GERBEN WAGENAARBRUG

GERBEN WAGENAARBRUG

Gerben Wagenaar, geboren op 27 september 1912 te Amsterdam.
Strijder tegen discriminatie, racisme en fascisme.
Een der leiders van de Februaristaking in 1941 (het protest tegen razzia's op Joodse landgenoten).
Betrokken bij het gewapend verzet, sabotage-acties en wapendroppings in de 2e Wereldoorlog.
Aangesloten bij de Raad van Verzet en de Binnenlandse Strijdkrachten.
Lid van de Tweede Kamer voor de CPN van 1946 tot 1959.
Op 31 augustus 1993 overleden.

op de Ruige Speelplek

ANNA VAN SAKSENBRUG

SPEELTUINVERENIGING
ALBO
OPGERICHT
20 MAART 1938

Chris

VERBODEN
AAN TE MEREN

VERBODEN
AAN TE MEREN

RK. C. W.

D. SCHAEPMAN

COFFEESHOP

specialist in groenten en levensmiddelen.

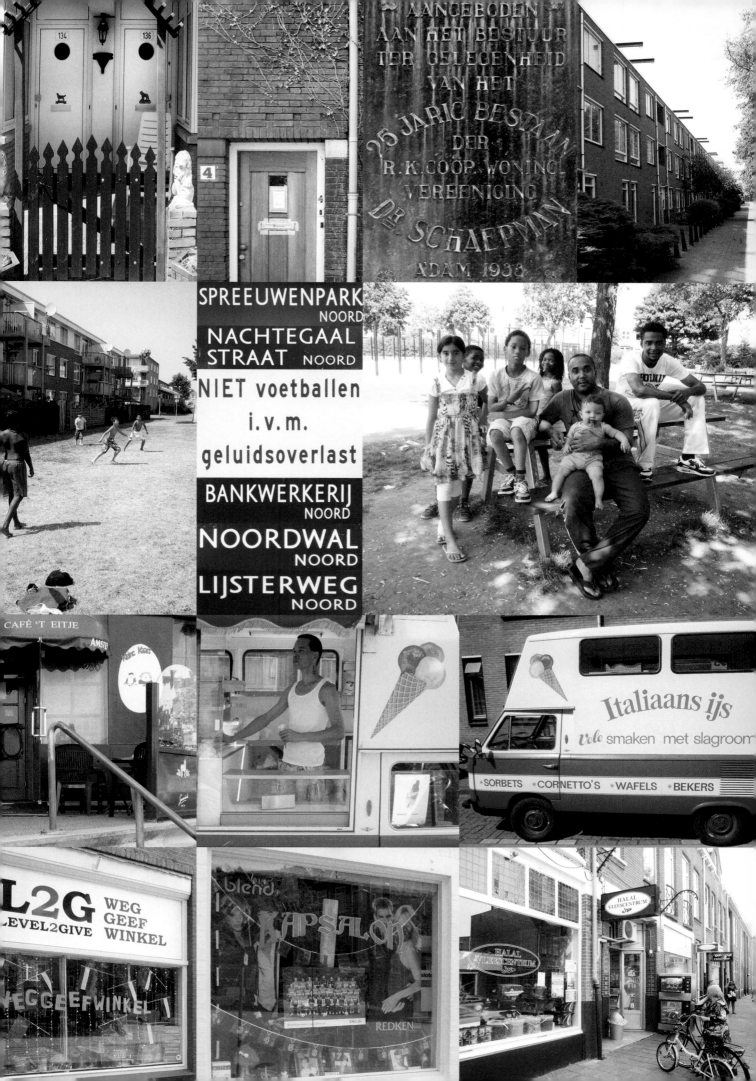

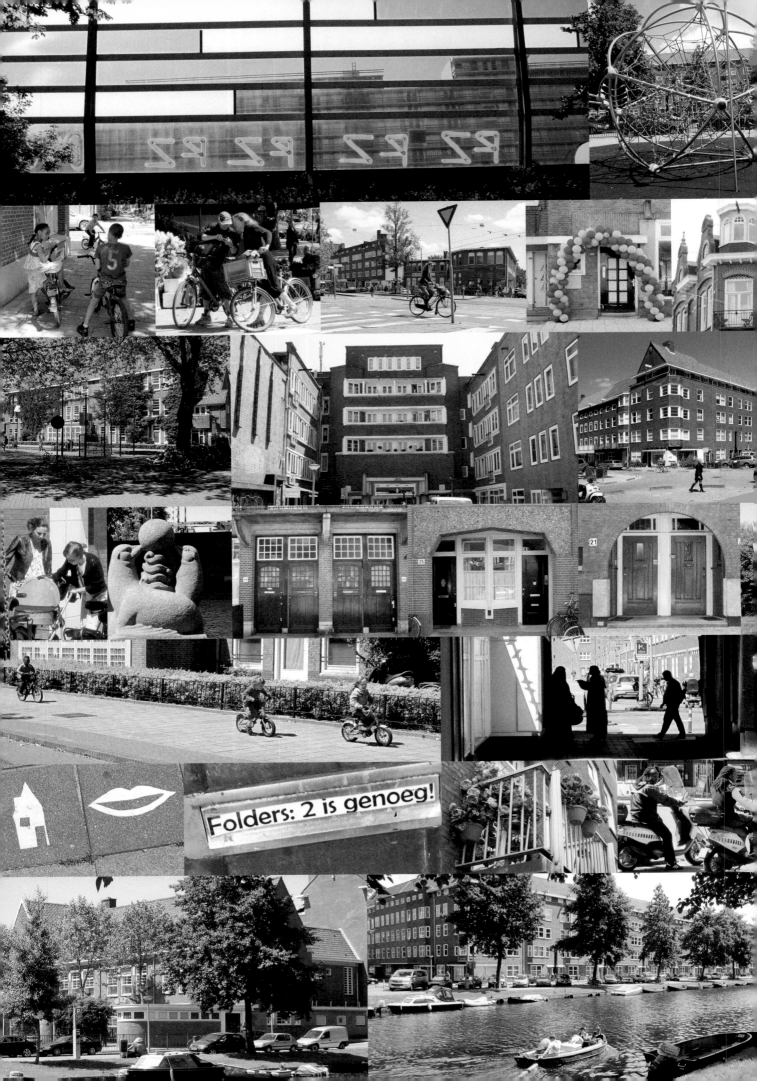

Folders: 2 is genoeg!

GEUZENKADE stadsdeel de baarsjes

MAARTEN HARPERTSZOON TROMPSTRAAT stadsdeel de baarsjes

REINIER CLAESZEN STRAAT stadsdeel de baarsjes

CORNELIS DIRKSZ STRAAT stadsdeel de baarsjes

o.b.s. rosa boekdrukke

DE KLEINE KOMEDIE

SARPHATI PLAZA

WEESPERZIJDE
Oost
EERSTE OOSTERPARK
STRAAT
OOS
BLASIUSSTRAAT
MUSSCHENBROEK
ASSENDELFT
STRAAT WESTERPA
SUIKERPLEIN

KRITERION

MDCCXCIII

Hogeschool van Amsterdam

T WAT JE VROEGER
DE JORDAAN HAD,
T IS DENK IK
T NOORD GEVOEL

Spreeuwenpark
zone
5711

MEEUWENLAAN
NOORD

149A

147B

BOUWVEREENIGING „EIGEN HAARD" 1915

GillyCom
COMMUNICATIE CENTRUM

Lycamobile

WEEGSCHAALHOF
TUINDORP OOSTZAAN

EENHOORNHOF
TUINDORP OOSTZAAN

STIERSTRAAT
TUINDORP OOSTZAAN

TWEELINGENH
TUINDOR OOSTZ

hier woon je dus - je herkent jezelf
sprekend hoe je op iedereen lij
er is geen tweede, geen zesmiljardste zoals jij

ERMISPAD
OOSTZANERWERF

CIRCUSPLEIN
Oostzanerwerf

SCHARENSLIJPERSPAD
Oostzan...

ORGELDRAAIERSPA..
OOSTZANERWERF

veelde en alwetendheid achterlatend
in paleizen, dromen
waarin eenhoorns nog achteloos bestaan

LEM BEUKELSSTRAAT
WATERGRAAFSMEER

KAMERLINGH ONNESLAAN
Oost/Watergraafsmeer

SCHOOL VOOR
GEWOON
LAGER ONDERWIJ

DAG HOOR

kleding, sch
en huishoud

OUDE HOOGSTRAAT CENTRUM

BETHANIËNDWARSSTRAAT CENTRUM

BARNDESTEEG CENTRUM

DAMSTRAA CENTRU

VOLKWARENHUIS

OUDEKERKSBR

THE BULLDOG
THE NAME WITH A HEART!
Founded:
17-12-1975

Het heeft gebracht. Het aantal inwoners van de stad, dat vorig jaar de grens van driekwart miljoen passeerde, was op 1 januari 767.773. Van de inwoners met een buit...

178 landen wonen in Amsterdam

ZAMENHOFSTRAAT NOORD

KUINDERSTRAAT
RIVIERENBUURT

BERKELSTRAAT
RIVIERENBUURT

IJSELSTRAAT
RIVIERENBUURT

BOTERDI
R

SPAARNDAMMERCARRÉ
BLOK 3

AMSTERDAM ART

Welcome.

SPAARNDAMMERDIJK
Westerpark

KNOLLENDAMSTRAAT
Westerpark

ROGGEVEENSTRAAT
WESTERPARK

HIER KOMT
PAARDENSCHOOL KAKELBONT
WESTERPARK
PK.WESTERPARK.BLOGSPOT.COM

BEGRAAFPLAATS
SINT BARBARA

SIMON VINKENOOG
18-7-1928   12-7-2009

GABRIEL

De Regenboog
kindero.g.erblijf

81   87   89

NIEUWE UILENBURGERSTRAAT
CENTRUM

UDESCHANS
(CENTRUM)

Hollandse Specialiteiten
&
Franse Klassiekers

Greetje

HEERENGRACHT

VOORSTEVEN
BUIKSLOOT

VOORDEK
BUIKSLOOT

Katholieke Basisschool
de botteloef

CORANTIJN
verschil mag er zijn

VUmc Cancer Center Amsterda

NEDERLANDSCHE BEWAARSCHOOL ANNO 1830

PAS OP
DE VLOER KA
GLAD ZYN

Wij zijn gewoon
open!
e deur klemt alleen!

J.W. SIEBBELESHOF Centrum
DIRK VAN HASSELTS STEEG (CENTRUM)
NIEUWE NIEUWSTRAAT
NIEUWENDIJK
RECHT BOOMSSLOOT
KORTE KONINGS STRAAT

LEVERT EN Cº
LUXOR

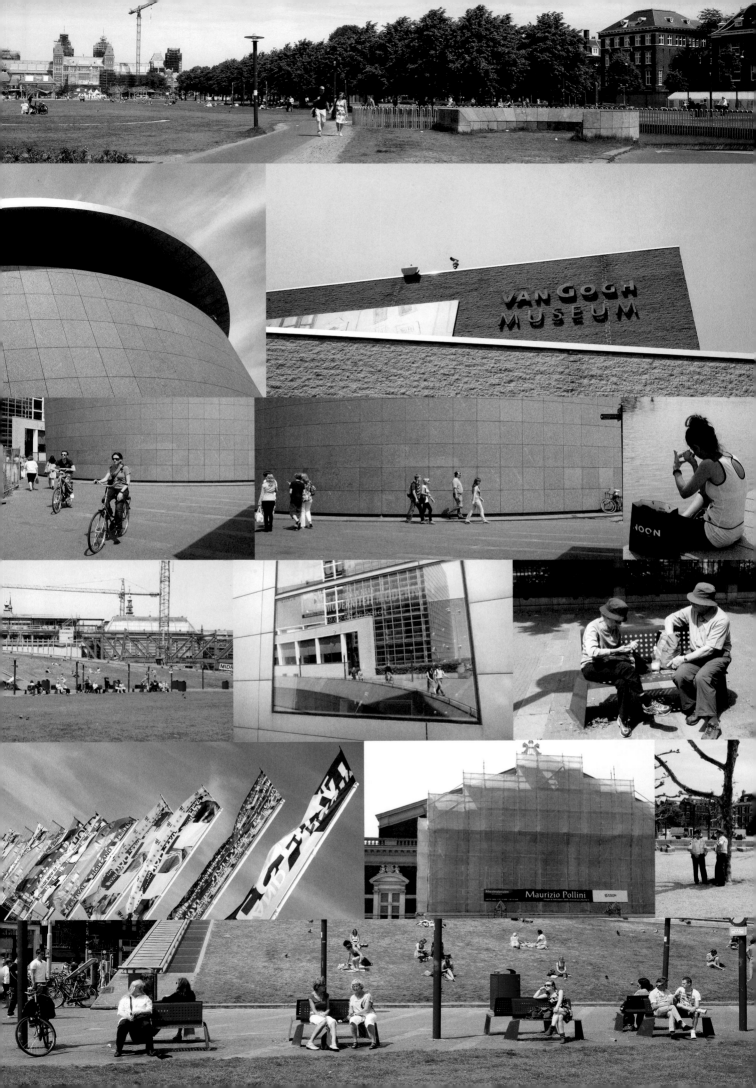

VAN GOGH MUSEUM

PANAMAKADE
LAMPENISTENSTRAAT
BARON G.A. TINDALPLEIN
ZEEBURG
C.J.K. VAN AALSTSTRAAT
FRED PETTERBAAN

THEATERZALEN

voor haar
die tot
het uiterste
neen
bleven
zeggen
tegen het
fascisme

taart van m'n tante

1900. JACOB OBRECHTSTRAAT Oud Zuid

16
18

le garage

#de Cuyp

AMSTEL HAVEN

te hoge huur?

kiss my ass!

check het op **normale** huur.nl

CB RICHARD ELLIS

hier woonde w f hermans van 1929 tot 1945

Marriott

EUTELBLOEM BREMSTRAAT SILENESTRAAT

WESTLANDGRACHT OUD-ZUID   JACOB MARISSTRAAT OUD ZUID   AMSTERDAM

PASSENGER TERMINAL AMSTERDAM

Chateauroux.
Patrijspoorten.
Javakade 7.

Beni asla görmezsin, sana baktığım anda

لن تلمحني هناك ما بقيت، حيث أنا أراك!

Nie erblickst Du mich da, wo ich Dich sehe

Nunca me ves donde te miro

Du ser meg aldri der hvor jeg ser deg

SINT WILLIBRORDUSSTRAAT
Oud Zuid

OOSTENBURGERGRACHT
CENTRUM

LINNAEUSH
WATERGRAAFS

Job!
Ja!
PvdA

AURITSKADE

RINGDIJK
Oost-Watergraafsmeer

STADHOUDERSKADE
Oud Zuid

RUYSDAELKADE
Oud-Zuid

la vallade

entrée
RESTAURANT

NS HALSSTRAAT
OUD-ZUID

De Nederlandsche Bank

Boekhandel
Schimmelpennink

31K

ANDRÉ
HAZES
voor jou

GERRITSEN

ACHTERGRACHT
UTRECHTSEDWARSSTRAAT
LUCAS JANSZ SINCKBRUG
NED·CONFECTIE INDUSTRIE

Magere Brug

MEULENHOFF BOEKERIJ

P

February
April
Maart

human.nl

OVERHAALSGANG
ENTREPOTDOK
HOOGTE KADIJK

EERSTE ZORG

NIJLPAARDENBRUG

NIEUWE KEIZERS GRACHT (CENTRUM)   KLOVENIERSBURGWAL CENTRUM   ZWARTEKETELGANG   GROENBURGWAL CENTRUM   PLANTAGE MUIDE GRACHT (CENTR)

LEEF!

Café Staal

LABORATORIUM VOOR ARTSENIJBEREIDKUNDE

smartshop

URITSKADE

OUDEZIJDS
ACHTER
BURGWAL

ZWANENBURG WAL 15-11

STAALSTRAA

ENTREPOTDOK
CENTRUM

HOOGTE KADIJK
MATROZENHOF
TUSSEN KADIJKEN

KOFFIEHUIS
VAN DEN
VOLKSBOND
Restaurant

A.v.Wees
Cola
drank

ARION

RAY♥OPA

VERTROUWEN

VERTROUWEN

www.wij-dewijk.nl

ENTREPOT-DOK

THE KLOZET

HOORNSESTRAAT
BEGRAAFPLAATS
NIEUWENDAM
MEDEMBLIKSTRAAT
NIEUWENDAM

BREDE KERKEPAD

ASSTRAAT
RIVIERENBUURT

ALSTRAAT
RIVIERENBUURT

DERSTRAAT
RIVIERENBUURT

RWEDEPLEIN
RIVIERENBUURT

GGESTRAAT
RIVIERENBUURT

ELSTRAAT
RIVIERENBUURT

Post Erwin Olaf & Piek

Géén ongeadresseerd
reklamedrukwerk,
en Huis aan-Huis blades
NEE

37

49

PATISSERIE
Blommestein

ANNE FRANK
1929 - 1945

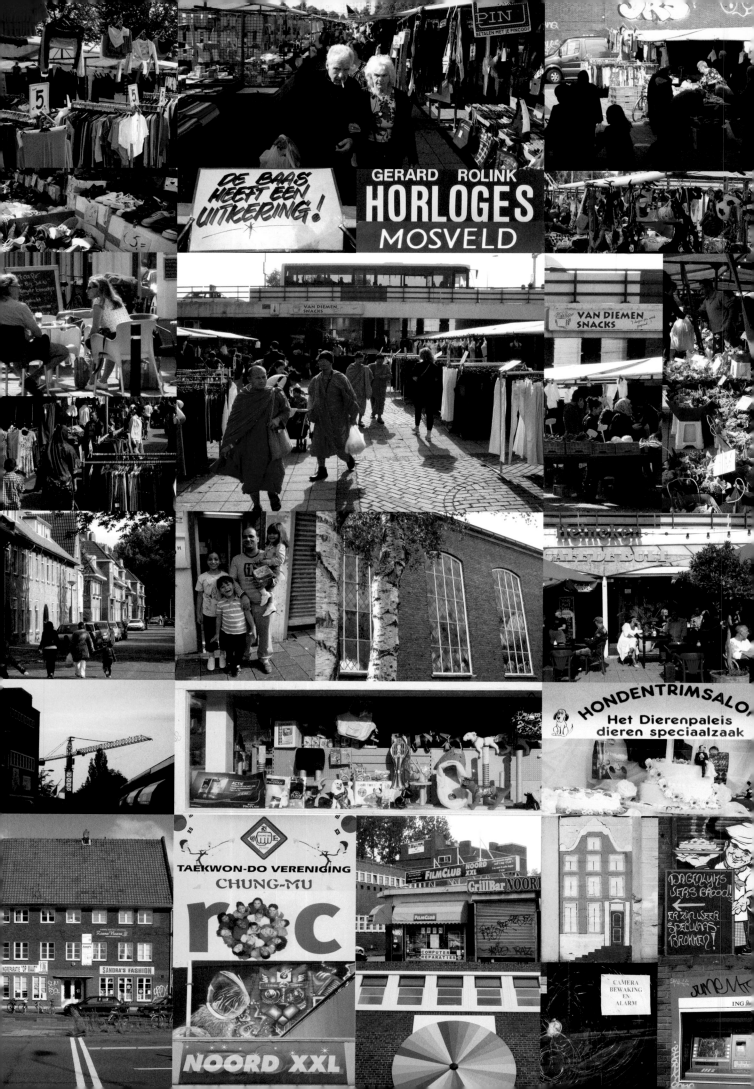

AZALEASTRAAT
HEGGERANK
WEG   NOORD
HORTENSIASTRAAT
DUINDOORNPLEIN
    NOORD
LATHERUSSTRAAT
    NOORD

Noorderpark

DE BOKKESPRONG

NIET VOEREN

Boven IJ

DE PLAATS

TOEGANG
LEVERANCIERS, STEENHOUWERS,
200 METER VERDER, de OUDE INGANG

swanenborgh II

Basisschool
De Berkelier
Protestants Christelijk Onderwijs

BR

" er zitten dingen op mijn glas "

Mijn moeder zei:
"Jij hebt de afwas gedaan!"

cordaan

HILVERSUMSTRAAT

BUSSUMSTRAAT

WATERLANDPLEIN
NIEUWENDAM

KLOKKEN
LUIDERS
H.V. MANEN 1954-1960
J.V. MANEN 1954-
J.M. VISSER 1955-1962
C.J. KIEVIT 1957
J.H. DIKKEN 196?

ASTORIA

EERSTE NEDERLANDSCHE
LEVENSVERZEKERINGS-BANK

ANNO J673

Stichting Belastingwinkel Amsterdam

LMKEBREEKPAD KADOELEN STOOMBOOTWEG KADOELEN EUDORINASTRAAT KADOELEN ABRAHAM DE HAANSTRAAT

NICKERIESTRAAT
stadsdeel de baarsjes

CURAÇAOSTRAAT
stadsdeel GEEN HUISVUIL

VAN WALBEECKSTRAAT
stadsdeel de baarsjes

POSTJESKA
stadsdeel de baar

Galerie

KEIZERSGRACHT
Spiegelkwartier
Centrum

DONKERSLOOT GALERIE

OPEN

SALE

DE SCHILDERCAM
...nsthandel sinds 1965

ANNO   1001

RIJKSMUSEUM

EDEL

OPEN

POSTJESWEG 1

.M
enee
r
.de.
wit.

Nationaal Jeugd Musical Theater

"HIGHSCHOOL"

ADMIRALENGRACHT
stadsdeel de baarsjes

PARAMARIBOPLE
stadsdeel de baa

MAAK DE BAARDJES BROEN

MACHINESLOOTBD

STADSDEELWERF
BIBLIOTHEEK
VESPUCCIMARKT

WINKELGEBIED
JAN EVERTSENSTRAAT E.O.

BUURTHUIS DE TAGERIJN

PARKEERGARAGE
MERCATORPLEIN

STADSDEELKANTOOR

NIET NORMAAL

STRAKS:

C'EST LA VIE

Interview | Deborah Campert & Barbara van Kooten

KROMME DISTELSTRAAT

DISTELACHTER-STRAAT NOORD

DISTELWEG

RANONKELKADE

HONDSDRAFPAD NOORD

OVENETELSTRAAT

LUPINEPLEIN

TWEEDE DISTELDWARS-STRAAT NOORD

HEUVEL

MUSEUM

BUURTWINKEL voor ONDERWIJS, ONDERZOEK en TALENTONTWIKKELING

HOI

WITTE DE WITHSTRAAT
stadsdeel de baarsjes

AUTOMOBIELBEDRIJF APK WERD I

CAFE QUIBUS

1. Quibus
2. Stof
3. Snookercentr.
4. Roos
5. Gambrinus
6. Tjing Tjing
7. Lust
8. Dusart
9. Fonk
10. Molli
11. 't Ceintuurtje
12. Hermes
13. Van Buuren
14. Flamingo
15. Pilsvogel
16. Wijnbar Boelen
17. Life

19e KROEGLOPERSTOERNOOI voor duo's
Amsterdam 6 juni 2010

"Elke Nederlander uitleggen hoe leuk Amsterdam is? Gaat niet!"

27

21

KOEKENBIER

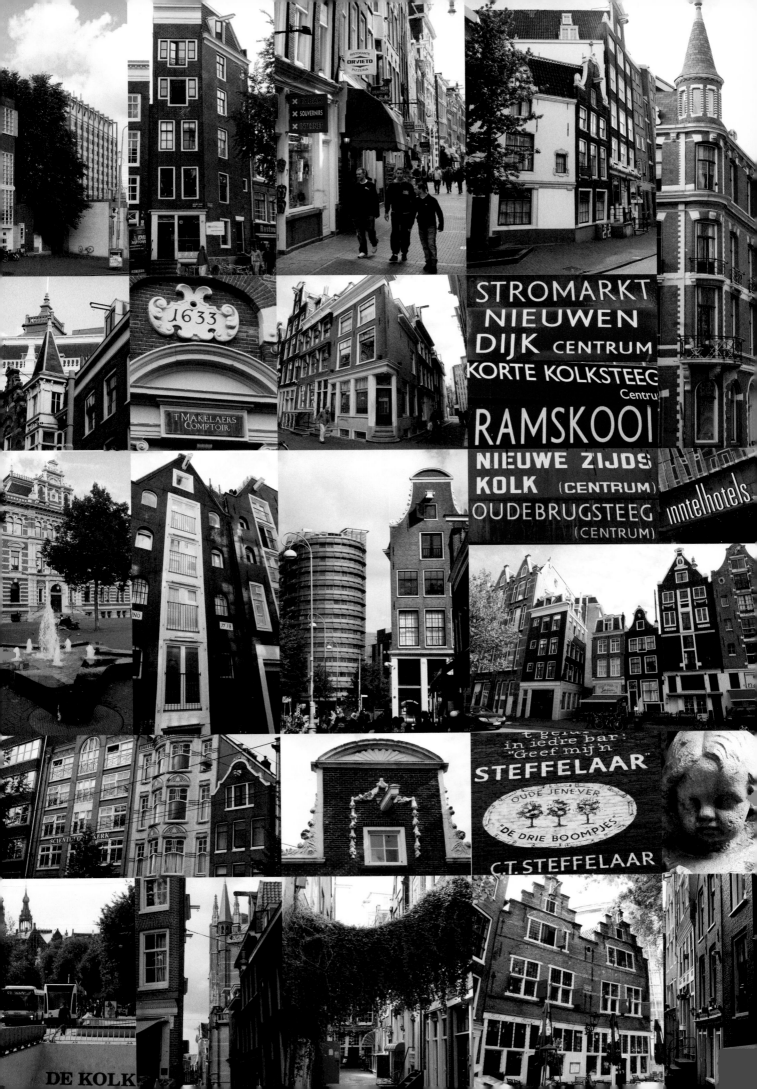

WEDEMAVANVEENJANSEN

OTHEEK   DE VIJZEL

QUICK WASH
6 DAGEN OPEN 6 DAYS A WEEK

GHETTO WHISKEY

NEE!
TEGEN
DE
PVV
STOP PVV ALMERE

OLBRUGSTRAAT OUD-WEST

KORTE BLEKERS STRAAT OUD-WEST

AGATHA DEKEN STRAAT OUD-WEST

BUURTCENTRUM DE HAVELAAR

SCHIMMELSTRAAT OUD-WEST

BELLAMYPL OUD

ENKIE'S OUTLET
goedkoopste adres voor al uw meubelen

KNEPPELHOUT STRAAT OUD-WEST

TEN KATESTRAAT OUD-WEST

KINKERSTRAAT stadsdeel oud west

BIERBOTTELAR

BRANDWEER

OETGENSSTRAAT

GRENSSTRAAT
Oost
Tot 1896 grens tussen de gemeenten
Nieuwer-Amstel en Amsterdam

BURMANDWARS
STRAAT
Oost

TEL ME
TEL ME
FAX ME
FAX ME
IK·BEN·HIER

HIER WOONDE EN WERKT
HUGO DE VRIES
1884-1916

OFF ON

GEMEENTEBADHUIS

MEIJER DE HONDBRUG

PROJECTBUREAU
Swammerdambuurt

Nee geen reclame
Nee geen bladen

Nee geen reclame
Nee geen bladen

ANNO
1873

Maupertuushuis

DE LAIRESSESTRAAT
Oud Zuid

JOHANNES VERHULSTSTRAAT
OUD-ZUID

BANK VOOR DE BOUWNIJVER

KOEKENBIER

Boekhandel Mulder

WILLEMS PARKWEG
OUD-ZUID

Sjonnie Kappe
HEREN KAPPER

Brood bakker Simon Meyssen

ALBERT HEIJN

NJE NASSAULAAN OUD ZUID · SAXEN-WEIMAR LAAN OUD-ZUID · WALDECK PYRMONT LAAN OUD-ZUID · KONINGS LAAN · PRINS HENDRIKLAAN Oud Zuid · CORNELIS SCHUY STRAAT OUD-ZUID

UTHERSCHE AKONESSEN NRICHTING · SOPHIALAAN Oud Zuid · 24 26 · OUD-ZUID VALERIUSSTRAAT OUD-ZUID

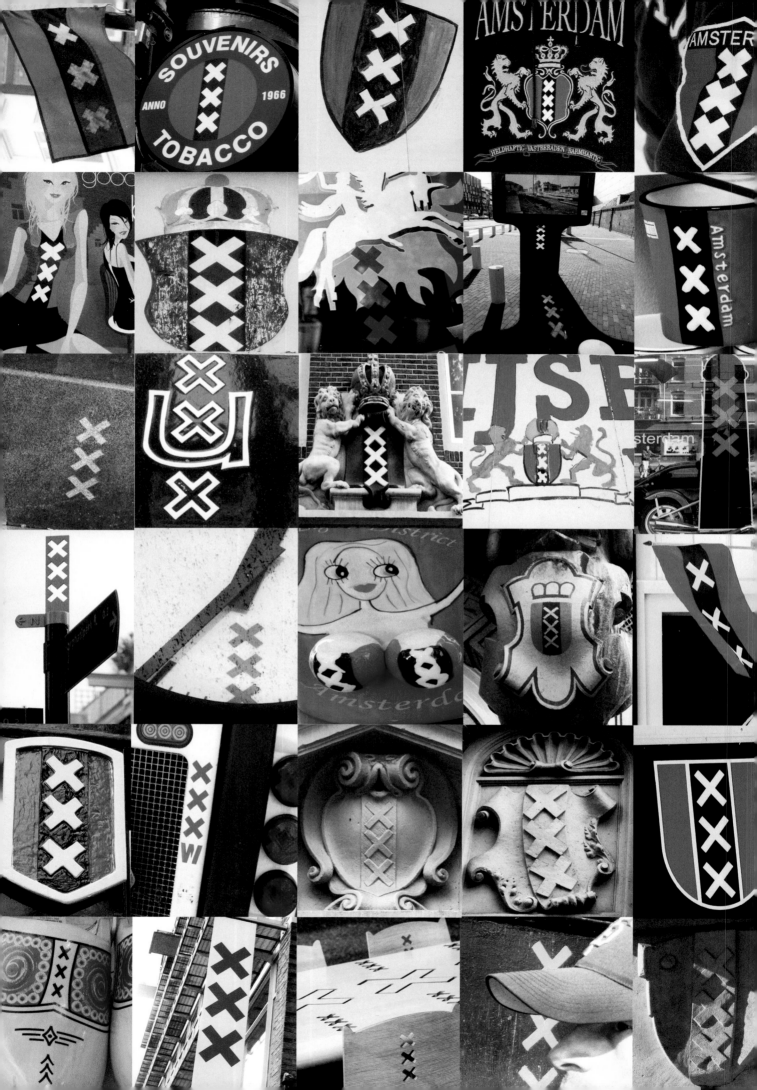

MEULENHOFF BOEKERIJ